Straeon Goraur Byd

GRØNLAND

ALASKA
(U.D.A)

Canada

GOGLEDD
AMERICA

6.

7.

CEFNFOR
IWERYDD

Y
CEFNFOR
TAWEL

Unol Daleithiau
America (U.D.A)

Cym

DE
AMERICA

Rwsia
8
Gwlad Pwyl
3
5
Kazakhstan
Yr Eidal
9
2
4
ASIA
Japan
AFFRICA
CEFNFOR
INDIA
1
Nigeria
Gwlad y Zwlw
-Mozambique
AWSTRALIA
CEFNFOR
Y DE
ANTARCTICA

I Mam gyda diolch
Caryl

Arlunwyr

Valériane Leblond
Dorry Spikes
Lizzie Spikes
Maria Royse

Straeon Gorau'r Byd

Caryl Lewis

Argraffiad cyntaf: 2014

© straeon: Caryl Lewis 2014
Cyhoeddwyd 'Y Dywysoges Bag Papur' o dan y teitl 'The Paperbag Princess' gan Robert Munsch,
Annick Press Ltd., Canada ©1980, gyda chaniatâd caredig Bob Munsch Enterprises Ltd.

© lluniau: yr arlunwyr 2014

Rhif Llyfr Safonol Rhyngwladol:
978-1-84527-497-9

Cyhoeddwyd gyda chymorth ariannol Cyngor Llyfrau Cymru

Dylunio: Elgan Griffiths

Lluniau:
Dorry Spikes: clawr blaen, 2, 8, 32, 50 a llythrennu llaw cain
Valériane Leblond: 16, 44, 66
Maria Royse: 20, 38
Lizzie Spikes: 27, 58

Cyhoeddwyd gan Wasg Carreg Gwalch,
12 Iard yr Orsaf, Llanrwst, Dyffryn Conwy, Cymru LL26 0EH.

Ffôn:01492 642031
e-bost: llyfrau@carreg-gwalch.com
lle ar y we: www.carreg-gwalch.com
Argraffwyd a chyhoeddwyd yng Nghymru

Cynnwys

Y Straeon Cyntaf

Amser maith yn ôl, tua'r amser pan oedd y dyn a'r fenyw cyntaf yn cerdded y ddaear, roedd gwraig o'r enw Manzandaba yn byw. Galwai pawb hi'n 'Manza', ac roedd hi a'i gŵr, Zenzele, yn byw yn hapus iawn mewn cartref clyd yn llawn o blant yng ngwlad y Zwlw yn Affrica. Gyda'r dydd, bydden nhw'n plethu basgedi, yn hela neu'n ffermio ar bwys eu cartref, a phan fyddai eu gwaith ar ben bydden nhw'n mynd i lawr at y môr mawr ac yn chwarae dan yr haul poeth. Byddai pawb yn chwerthin wrth wylio'r crancod yn cerdded wysg eu hochrau ac yn rhyfeddu at yr adar yn gwibio o'u cwmpas. Yn wir, gan fod gan Zenzele galon artist medrai gerfio'r anifeiliaid harddaf a welodd neb erioed. Byddai'n cerfio impala o bren a *kudu* allan o garreg. Roedd cartref y teulu a phob tŷ yn y pentref wedi'u haddurno â gweithiau hyfryd Zenzele.

Ond ambell noson, pan fyddai hi'n rhy hwyr i weithio ond yn rhy gynnar i fynd i'r gwely, byddai'r teulu'n eistedd o gwmpas y tân yn teimlo'n ddiflas.

'Mami, Mami,' fyddai'r plant yn ei ddweud, 'ry'n eisiau stori. Plis gawn ni stori, Mami!'

Ond er iddi feddwl a myfyrio, pendroni a chysidro, allai Manza ddim â meddwl am un. Doedd gan Manza na Zenzele 'run stori i'w dweud! Aethon nhw i weld eu cymodogion a gofyn am stori, ond siglo'u pennau wnaeth pob un o'r rheini. Doedd ganddyn nhw ddim stori chwaith. Yna, fe wrandawon nhw ar y gwynt. Tybed oedd gan hwnnw stori i'w dweud? Na, doedd dim straeon. Dim breuddwydion. Dim chwedlau llawn hud a lledrith.

Un diwrnod, fe benderfynodd Manza fynd i chwilio am straeon. Fe arhosodd Zenzele adref i edrych ar ôl y plant. Wrth i Zenzele gusanu ei wraig ar ei boch, gofynnodd iddi am ddod â digon o straeon yn ôl i bawb yn y pentref.

Dechreuodd Manza gerdded a chyn bo hir gwelodd Nogwaja, y sgwarnog ddrygionus.

'Oes gen ti straeon?' gofynnodd Manza.

'Straeon? Oes, wrth gwrs,' atebodd honno. 'Mae gen i filoedd ar filoedd o straeon.'

'O! A gaf i rai gen ti,' gofynnodd Manza, 'er mwyn i ni a'r plant gael bod yn hapus?'

'Ymmm,' atebodd Nogwaja, 'wel, dwi'n llawer rhy brysur am stori nawr. Mae cant a mil o bethau gen i i'w gwneud. Straeon yng nghanol y dydd, wir!' A dyma Nogwaja yn sgipio i ffwrdd. Dyna i chi sgwarnog ddireidus!

Tynnodd Manza anadl hir a cherdded ymlaen ar ei thaith. Nesaf, fe welodd hi Fene, y babŵn. Roedd ei mwncïod bach i gyd ar ei chefn.

'Fene,' meddai Manza, 'dwi'n gweld bod gen ti blant hefyd – pa straeon wyt ti'n eu dweud wrthyn nhw?'

'Straeon? Straeon!' atebodd Fene. 'Ydw i'n edrych fel bod gen i amser i ddweud straeon? Mae digon o waith gen i yn bwydo a chadw'r mwncïod bach 'ma'n gynnes ac yn ddiogel. Dwi'n falch nad oes gen i blant sy'n swnian am ryw straeon dwl o hyd.'

Yna gwelodd Manza Ndlovu yr eliffant.

'O, Ndlovu,' meddai Manza, 'wyt ti'n gwybod ble y gallwn ddod o hyd i straeon? Mae pobol y pentref a'r plant i gyd bron â thorri eu calonnau eisiau straeon.'

Roedd yr eliffant yn anifail caredig iawn ac fe sylwodd ar yr olwg drist yn llygaid Manza.

'O, fenyw annwyl,' meddai Ndlovu, 'dwi ddim yn gwybod am unrhyw straeon fy hun ond dwi *yn* adnabod Nkwazi yr eryr mawr, ac mae hwnnw'n hedfan yn uchel, uchel yn yr awyr. Byddai e'n siŵr o wybod ble mae cael straeon.'

'O diolch, Ndlovu,' meddai Manza.

Aeth i chwilio am yr eryr mawr a dod o hyd iddo ar bwys afon Tugela. Rhedodd ato gan weiddi, 'Nkwazi! Nkwazi!' Doedd Manza ddim wedi sylwi fod yr eryr yn hela uwchben yr afon a phan glywodd sŵn ofnadwy Manza yn gweiddi dyma fe'n gollwng pysgodyn anferth o'i grafangau. Edrychodd yr eryr mawr yn grac ar Manza.

'Beth sydd mor bwysig nes i ti wneud i mi golli fy swper?'

'O, Nkwazi, yr eryr mawr doeth!' meddai Manza. Roedd yr hen eryr yn meddwl ei fod yn bwysig iawn ac yn hoffi cael ei ganmol. 'O, Nkwazi, mae fy mhobol yn ysu am gael straeon

a dywedodd Ndlovu yr eliffant y byddet ti'n gwybod ble maen nhw'n cuddio.'

Gwthiodd Nkwazi ei frest allan yn bwysig. 'Wel, 'dwi *yn* ddoeth iawn,' broliodd, 'ond dim ond cyfrinachau'r ddaear dwi'n eu gwybod, ond dwi'n adnabod rhywun sy'n gwybod cyfrinachau'r môr mawr, dwfn. Aros di fan hyn.'

Ac agorodd Nkwazi ei adenydd anferth a hedfan i ffwrdd. Arhosodd Manza am sawl diwrnod ac, o'r diwedd, dyma Nkwazi yr eryr yn dod yn ei ôl.

'Mae fy ffrind, Iwaso y crwban môr, wedi cytuno i fynd â ti at bobol y Tanfor.'

Yr eiliad honno, llusgodd crwban môr anferth ei hun allan o'r dŵr.

'Dringa ar fy nghefn i,' meddai mewn llais dwfn, 'ac fe af i â ti o dan y môr at wlad pobol y Tanfor.'

Ar ôl plymio i ganol y môr mawr, fe welodd Manza ryfeddodau anhygoel. Adeiladau a thyrau. Clychau a phalas mawr lle roedd brenin a brenhines y môr yn byw. Cofiodd Manza foesymgrymu o'u blaenau.

'Beth wyt ti ei eisiau, fenyw o'r tir sych?' gofynnodd brenin y Tanfor.

A dyma Manza yn dweud ei bod yn chwilio am straeon.

Gwenodd yr hen frenin. 'Mae gennym lond y môr o straeon,' meddai'n garedig, 'ond beth rowch chi i ni yn eu lle?'

'Beth fyddech chi'n ei hoffi?' gofynnodd Manza'n nerfus. Doedd ganddi ddim trysor, na chreiriau drud – dim byd i'w gynnig i'r brenin mawr.

'Yr un peth hoffen ni ei gael yw llun o'ch byd chi. Llun o fyd y tir sych. Fedrwn ni byth fynd yno ond byddai'n rhoi pleser mawr i ni ei weld.'

Gwenodd Manza, gan gofio mor dda oedd ei gŵr, Zenzele, am greu lluniau a cherfluniau.

'Mi ddof i â llun i chi,' meddai hi, gan neidio yn ôl ar gefn y crwban môr mawr.

Ar ôl iddi gyrraedd adref, a dweud yr hanes, dechreuodd Zenzele weithio ar ei union. Aeth si o gwmpas y pentref a daeth pawb i'r tŷ i gael gweld beth oedd Zenzele'n ei greu. Gweithiodd bob dydd a phob nos gan gerfio llun oedd

13

yn dangos y tir a'r cnydau, y plant yn chwarae a'r blodau. Ac uwchben y cyfan, roedd haul mawr, hyfryd yn gwylio dros y byd. Yn wir, hwn oedd y llun harddaf a welodd neb erioed. Pan oedd y llun yn barod, cariodd Manza e i lan y môr a daeth y crwban môr mawr ati. Dringodd ar ei gefn a chario'r llun prydferth i balas brenin a brenhines y môr. Roedd pawb yng ngwlad y Tanfor yn synnu ac yn rhyfeddu. Dyma lun bendigedig. Dyma drysor!

Gwenodd y brenin yn siriol ar Manza a rhoi iddi'r gragen fwyaf a harddaf a welodd unrhyw un erioed.

'Dyma rodd i ti a dy bobol,' meddai'r brenin, 'ein rhodd o straeon i chi, bobol y tir sych. Unrhyw adeg rydych chi eisiau stori, gwasgwch y gragen at eich clust, ac fe glywch chi un.'

Diolchodd Manza iddo am ei garedigrwydd cyn ffarwelio a nofio ar gefn y crwban yn ôl at lan y môr mawr. Yno, ar y traeth, roedd ei theulu a holl bobol y pentref yn ei disgwyl. Roedden nhw wedi cynnau tân mawr. Codwyd Manza o gefn y crwban a bu dathlu a chanu mawr.

'Manza! Manza!' medden nhw gan wenu, 'a gawn ni stori?'

Eisteddodd pawb i lawr o gwmpas y tân a rhoddodd Manza y gragen hardd at ei chlust a dweud, *'Kwesuka sukela* . . . Un tro . . .'

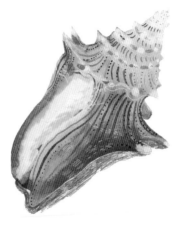

Cloch Atri

Amser maith yn ôl yn yr Eidal, roedd brenin o'r enw Giovanni yn byw. Roedd Giovanni'n frenin da a chyfiawn, ac roedd pobol tref Atri yn meddwl y byd ohono. Er mwyn i bawb gael byw mewn cymdeithas deg, fe gododd Giovanni dŵr tal, anferth yng nghanol y dref, ac yn y tŵr uchel fe roddodd gloch hardd. Wrth honno, clymwyd rhaff fel y gallai'r dyn talaf a'r plentyn lleiaf ganu'r gloch. Dywedodd y brenin, 'Os oes un o bobol yr ardal yn gwneud niwed i un arall, yna canwch y gloch. Mae tegwch a chyfiawnder yn bwysig yn Atri.'

Aeth blynyddoedd mawr heibio heb i neb ganu'r gloch. Roedd pawb yn byw'n gytûn a neb yn tynnu'n groes. Ond ar gyrion y dref, mewn tŷ crand, roedd dyn cyfoethog yn byw. Roedd e'n berchen ar dir a gerddi, ar anifeiliaid a cheffylau.

Roedd gan y dyn cyfoethog bentyrrau o aur ac arian yn ei goffrau ond doedd e'n dal ddim yn hapus.

'Mae'n rhaid i mi gael rhagor o aur,' meddai gan fynd ati i werthu ei eiddo. Gwerthodd dir a gwerthodd ffermydd. Gwerthodd ddefaid a gwerthodd fustych. Gwerthodd adeiladau a cheffylau, a'r cyfan oedd ganddo yn y diwedd – heblaw am ei aur – oedd ei hen ffrind y ceffyl llwyd. Roedd hwnnw'n agos iawn at ei galon am ei fod wedi ei farchogaeth pan oedd yn ddyn ifanc yn y fyddin. Roedd yr hen geffyl wedi achub ei fywyd sawl gwaith pan fyddai'r brwydro'n chwyrn. Erbyn hyn, roedd y ceffyl yn gloff ac yn hen, ond bob tro byddai'r dyn cyfoethog yn mynd i'r stablau, byddai'n gwthio'i drwyn meddal o dan gesail ei feistr.

Ond un diwrnod oer a gwyntog, aeth chwant arian yn drech na'r dyn cyfoethog. Sylwodd faint roedd yr hen geffyl yn ei fwyta a meddwl pa mor ddrud oedd hi i'w fwydo. Aeth at y stabl a chwip yn ei law, agor y drws a gadael yr hen geffyl allan. Yna chwipiodd pen-ôl y ceffyl nes iddo weryru a chlip-clopian i ffwrdd a'i galon yn torri.

Roedd y gwynt yn fain a'r eira'n drwm ac fe grwydrodd yr hen geffyl ling-di-long ar hyd y wlad. Weithiau, pan ddôi ar draws ffermwr caredig câi ychydig o wair a geiriau caredig fel, 'druan â ti'r hen geffyl'. Ond ni chafodd gynnig stabl gynnes gan ei fod yn rhy hen i weithio ac yn dda i ddim i neb.

Crwydrodd yr hen geffyl, druan, am wythnosau, yn cael dyrnaid o wair fan hyn, a thamaid o afal fan draw. Ond erbyn y gwanwyn, roedd yn denau ac yn llesg ac aeth yn fwy cloff.

Un diwrnod, a hithau'n ddiwrnod marchnad yn Atri, fe gerddodd yr hen geffyl i ganol bwrlwm sgwâr y dref. Roedd y trigolion yn llawer rhy brysur i sylwi ar hen geffyl llwglyd yn hercian tua'r tŵr. Roedd drws y tŵr ar agor, ac aeth y ceffyl llwyd yn syth i mewn at y rhaff o wellt blasus oedd yn hongian at y llawr.

Yn sydyn, clywodd rhai o'r bobol sŵn anghyfarwydd yn seinio drwy'r dref.

'Ding-dong, ding-dong, ding-dong.'

Roedd yr hen geffyl, druan, bron â llwgu ac yn bwyta'r hen raff. Bob tro roedd yn brathu'r rhaff, canai'r gloch.

Yn fuan iawn aeth holl bobol y dref yn dawel.

'Ding-dong, ding-dong, ding-dong, DING-DONG!'

Roedd pawb yn methu credu'r sŵn. Yna, daeth sŵn carnau ceffylau. Carnau ceffylau chwim yn taranu ar hyd y strydoedd. Yn wir, roedd y brenin Giovanni ei hun wedi cyrraedd canol y dref ar ei geffyl hardd a'i farchogion yn ei ddilyn.

'Mae rhywbeth o'i le!' meddai'r brenin. 'Pwy sydd wedi gwneud rhywbeth drwg? A phwy sy'n gofyn am gymorth?'

'Ding-dong, ding-dong, ding-dong, DING-DONG! DING-DONG!'

Roedd y gloch yn canu o hyd wrth i'r brenin neidio oddi ar ei geffyl a mynd at ddrws y tŵr. Yn y fan honno, fe welodd pawb yr hen geffyl llwyd, yn wan ac yn denau. Casglodd torf o gwmpas y tŵr ac aeth si drwy'r bobol i gyd.

'Y fi,' meddai llais o'r dorf. 'Y fi sydd wedi gwneud rhywbeth drwg.' Y dyn cyfoethog oedd yno ac aeth ar ei bengliniau o flaen y brenin.

'Dwi wedi troi'n ddyn hunanol. Mi wnes i anghofio fy nyled i'r hen geffyl llwyd ac anghofio bod yn garedig.' Plygodd ei ben mewn cywilydd.

Gorchmynnodd y brenin iddo fynd â'r ceffyl adref gydag ef. 'Bydd yn garedig wrtho oherwydd mae caredigrwydd yn llawer mwy gwerthfawr nag aur ac arian.'

Dyna'n union wnaeth y dyn cyfoethog. Rhoddodd y gwair gorau i'r hen geffyl a dŵr glân iddo i'w yfed. Cafodd stabl gynnes a chlyd i orffwys ynddi weddill ei oes. Byddai'r dyn cyfoethog yn dod i'w weld ddwywaith bob dydd, a'r hen geffyl yn gwthio'i drwyn meddal yn ei gesail bob tro, gan wneud i hwnnw wenu a chwerthin dros bob man.

Triciau Aderyn

Mewn pentref braf, mewn dyffryn hardd yng Nghymru, roedd merch o'r enw Aderyn yn byw. Cafodd yr enw Aderyn nid yn unig am fod ei gwallt yn ddu fel y frân a'i llygaid yn chwim ond am ei bod mor hapus â'r gog hefyd. Er bod pawb yn hoffi Aderyn bydden nhw danto arni weithiau am ei bod yn groten mor ddireidus. Ble bynnag fyddai pobol y pentre'n mynd, byddai Aderyn yn siŵr o fod yno wrth ei thriciau.

Un diwrnod, roedd pobman yn fôr o sŵn aflafar cathod a chŵn. 'Miaw!

Miaw! Bow-wow-wow-wow!' Rhedai pobol o un stryd i'r llall yn methu deall pam roedd holl gŵn a chathod y pentref wedi mynd yn wallgof!

'Pam na wnei di gadw dy gi yn dawel?' gwaeddai un cymydog ar y llall.

'Dy gathod di ddechreuodd yr holl sŵn!' cwynai'r llall.

'Wel, dyma'r pentref mwyaf swnllyd yng Nghymru,' meddai un arall.

Ond pwy ddechreuodd y sŵn i gyd? Wel, Aderyn, wrth gwrs! Hi bryfociodd y cŵn a chythruddo'r cathod!

Dro arall, pan aeth pobol am dro i'r caeau, fe gawson nhw ofn am eu bywydau pan ddechreuodd bwgan brain chwifio'i freichiau arnyn nhw! Roedd e'n dawnsio ac yn chwifio, yn gwgu ac yn canu! Rhedodd y dynion yn ôl i'r pentref i nôl eu harfau. Yna, aethon nhw at y bwgan brain a gweld . . . wel, dim byd o gwbwl. Dim ond bwgan brain cyffredin yn sefyll yn y cae. Ond pwy oedd wedi cuddio y tu ôl i'r bwgan a chwifio'i freichiau a chanu'n aflafar? Wel, Aderyn, wrth gwrs!

Roedd tad a mam Aderyn yn dlawd iawn, ac un diwrnod penderfynodd hi gasglu mwyar duon a mynd â nhw i'w gwerthu yn y farchnad er mwyn gwneud ceiniog neu ddwy i'r teulu. Cydiodd yn ei basged a chasglu tomen o fwyar. I ffwrdd â hi wedyn i ganol sŵn a bwrlwm y dref. Ond wrth iddi chwilio am le delfrydol i werthu'r mwyar duon, fe welodd ddyn oedd wedi gosod lliain lliwgar o'i flaen. Roedd yn cynnig gwobr i unrhyw un a allai ddyfalu beth oedd o dan y lliain. Wrth iddi lygadu'r darn aur oedd yn wobr am ddyfalu'n gywir, anghofiodd Aderyn yn llwyr am werthu'r mwyar duon. Edrychodd ar y lliain. Ceisiodd ddychmygu beth oedd oddi tano. Meddyliodd eto. Ond na, roedd y dasg yn rhy anodd. Cododd Aderyn ei hysgwyddau a dweud, 'Wel, rwyt ti wedi dal Aderyn y tro yma!'

Ar y gair, chwipiodd y dyn y lliain i ffwrdd a gwelodd pawb aderyn bach gwyllt yn dianc oddi yno, yn falch o fod yn rhydd. Roedd gan Aderyn drueni dros yr aderyn bach, ond cyn iddi gael cyfle i ddweud dim, dechreuodd pawb

o'i chwmpas glapio a gweiddi. Roedd Aderyn wedi ennill y darn aur! Roedd pawb wedi synnu a rhyfeddu at glyfrwch y ferch fach.

'Fe awn ni â ti i'r plasty lle mae Emrys Goch yn byw,' medden nhw. 'Mae e mewn picil ac rwyt ti'n siŵr o allu datrys ei broblem. Rwyt ti mor glyfar â dewin.'

Roedd y dyn â'r gwallt a'r farf goch a safai o'i blaen – Emrys Goch – yn ddyn pwysig iawn gan mai fe oedd piau'r dyffryn i gyd. Gwyddai Aderyn y gallai hwn roi bwthyn yn anrheg i'w mam a'i thad petai hi'n medru ei helpu.

'Mae'r ffermwyr i gyd yn cwyno bod rhywun yn dwyn eu hwyau ac yn sarnu eu llaeth,' meddai Emrys Goch gan edrych ar Aderyn. 'Gan mai fi yw'r arglwydd, mae pawb yn disgwyl bod ateb gen i,' eglurodd, gan grafu ei ben. 'Os galli di fy helpu i, fe gei di sach yn llawn aur yn wobr.'

Doedd Emrys Goch ddim yn siŵr sut allai'r ferch fach hon ei helpu ond erbyn hyn roedd wedi dod i ben ei dennyn.

Curai calon Aderyn yn gyflymach. Roedd sach o aur yn ffortiwn – yn ddigon i gadw ei mam a'i thad drwy'u hoes. Aeth Aderyn i ardd y plasty i feddwl. Yna, cofiodd am y straeon fyddai ei thad yn eu dweud wrthi am y tylwyth teg. Byddai'r rheini'n melltithio ffermydd ac yn aros yn hir yn y mannau lle roedd llawer o fwyd.

'Mae'n rhaid i bob ffermwr wahodd y tylwyth teg i wledd yma,' meddai Aderyn, ar ôl i Emrys Goch alw ffermwyr yr ardal ynghyd. 'Ond peidiwch â rhoi dim ar y byrddau heblaw am betalau rhosod, cacennau mawn a chwpanau cnau yn llawn o ddŵr.'

'Hy!' wfftiodd un ffermwr, 'dyw hynny ddim yn llawer o wledd.'

'Yn gwmws,' atebodd Aderyn, 'fydd y tylwyth teg ddim yn meddwl llawer o'r bwyd chwaith, ac fe ân nhw i chwilio am fwyd yn rhywle arall.'

A'r noson honno, wrth i'r lleuad ddringo'n araf i'r awyr a chysgodion y nos yn llenwi'r lle, fe ddaeth y tylwyth teg i'r wledd. Fe ruthron nhw at y byrddau, yn awyddus i fwynhau gwledd arbennig. Ond ar ôl gweld beth oedd yno, fe waeddon nhw'n groch a chodi dwrn yn ddig cyn diflannu unwaith ac am byth i'r dyffryn nesaf.

Roedd Emrys Goch wrth ei fodd ac eisiau i Aderyn wneud tasg arall iddo. Roedd Aderyn eisiau mynd adref ond fe gynigiodd Emrys *ddwy* sachaid o aur iddi petai'n medru ei helpu unwaith eto.

'Ti'n gweld, Aderyn,' esboniodd, 'mae modrwy fy ngwraig ar goll, ac mae'n rhaid i mi ddod o hyd iddi. Oherwydd os yw hi'n anhapus, mae hi'n gwneud yn siŵr fy mod i'n anhapus hefyd. Felly mae'n rhaid i ti fy helpu i!' meddai. 'Cei ddwy sach o aur neu ddim!'

Suddodd calon Aderyn. Roedd ei thriciau wedi gweithio hyd yn hyn. Ond doedd ganddi ddim syniad ble roedd y fodrwy hon. Meddyliodd am fynd adre heb yr un darn o aur Emrys Goch. Roedd yn rhaid iddi ddod o hyd i'r fodrwy ond roedd y plasty'n anferth. Roedd yno stafelloedd gwely a stafelloedd byw, ceginau a neuaddau di-ri. Y tu allan roedd lawnt anferth, pwll dŵr a gerddi. Gallai'r fodrwy fod yn unrhyw le! Yna, meddyliodd Aderyn, beth petai'r fodrwy wedi cael ei dwyn gan rywun oedd yn gweithio yn y plas?

Arhosodd Aderyn iddi nosi. Yn gyntaf, aeth i'r gegin i nôl hen grochan, a hwnnw'n barddu i gyd. Yna, aeth allan i chwilio am hen geiliog o'r clos. Roedd y ceiliog yn aflonydd am nad oedd yn hoffi cael ei gario o dan ei chesail, ond sibrydodd Aderyn yn ei glust a llwyddo i'w dawelu. Ar ôl dod â'r morynion a'r gweision ynghyd, gosododd Aderyn y ceiliog dan y crochan yng ngolau cannwyll.

'Ar ôl i mi ddiffodd y gannwyll, mae'n rhaid i bob morwyn a phob gwas gyffwrdd â'r crochan â'u bys bawd, un ar ôl y llall,' meddai hi. 'Pan fydd y lleidr yn cyffwrdd â'r crochan, bydd y ceiliog yn clochdar.'

Dyma Aderyn yn diffodd y gannwyll a daeth y gweision a'r morynion ymlaen fesul un i gyffwrdd â'r crochan â'u bys bawd. Roedd pawb yn dawel. Yn dal eu hanadl. Yn aros am sŵn clochdar y ceiliog. Ond ddaeth dim byd. Dim smic!

'A-ha!' meddai Aderyn o'r diwedd. 'Ry'n ni wedi dal y lleidr!'

Cafodd y gannwyll ei chynnau unwaith eto. Roedd bys bawd pob gwas a phob morwyn yn ddu – heblaw am fawd un forwyn. Roedd cymaint o ofn clywed y ceiliog yn clochdar ar y lleidr nes iddi beidio â chyffwrdd â'r crochan o gwbwl. Rhoddwyd y fodrwy yn ôl i wraig Emrys Goch ac am fod ei wraig yn hapus unwaith eto, roedd Emrys Goch yn fodlon i Aderyn fynd yn ôl at ei theulu.

Y diwrnod wedyn, fe gerddodd Aderyn dan ganu fel aderyn yn ôl i'w phentref gyda dwy sach yn llawn o aur yn ei basged – digon i'w chadw hi a'i rhieni am weddill eu hoes! A beth wnaeth Aderyn wedyn? Wel, bod yn ddireidus, wrth gwrs, a chwarae mwy a mwy o driciau ar bawb!

Y Saer Maen

Amser maith yn ôl yn Japan, roedd saer maen tlawd yn byw. Byddai'r saer yn gweithio'n gyson ac yn cwyno'n gyson hefyd. 'Mae'r cerrig yn rhy galed,' meddai. 'Dwi wedi blino,' meddai wedyn. 'Dwi eisiau hoe.' Yn wir, byddai'r cwynion yn ddiddiwedd.

Yna, un diwrnod, roedd un o ysbrydion y mynydd yn hedfan heibio. Clywodd y saer maen yn cwyno ac arhosodd am ychydig i wrando arno.

'Oooo! Mae 'nghefn i'n dost,' meddai, ac 'O! Dwi wedi bwrw fy mys â'r morthwyl yma.'

'Druan ag e,' meddyliodd yr ysbryd. 'Mae'n swnio'n ddyn anhapus iawn.'

Y diwrnod wedyn, fe ofynnodd dyn cyfoethog i'r saer adeiladu tŷ hyfryd iddo.

'Fe bryna i gant o dy flociau cerrig gorau di,' meddai wrth y saer.

Cytunodd y saer a chario'r blociau fesul un i dŷ newydd y dyn cyfoethog.

Roedd y tŷ yn un hardd dros ben. Edrychodd y saer maen o'i gwmpas yn genfigennus a dweud, 'O! Petawn i'n cael un dymuniad, fe fyddwn i eisiau tŷ fel hwn.'

Yn uchel ar ben y mynydd, fe glywodd yr hen ysbryd ei ddymuniad. Fe gododd ei ddwylo ac, mewn amrantiad, roedd y saer maen yn gyfoethog dros ben!

Nawr, roedd ganddo yntau dŷ bendigedig. Doedd dim rhaid iddo weithio a gallai orwedd yn hamddenol yn ei ardd drwy'r dydd. Ond, doedd e ddim yn hapus iawn hyd yn oed wedyn.

Mae'n rhy boeth fan hyn gyda'r haul yn
fy llygaid i, meddyliodd am eiliad cyn dweud,
'Liciwn *i* fod yn haul!'

Yn uchel ar y mynydd fe glywodd yr hen ysbryd ei ddymuniad ac mewn
chwinciad, fe drodd y saer maen o fod yn ddyn i fod yn haul!

Byddai'r blodau yn agor dan ei gyffyrddiad cynnes, byddai'r plant yn chwarae yn ei oleuni ond na, doedd y saer maen ddim yn hapus eto!

'Dyw hyn ddim yn hwyl,' meddai wrth weld yr afonydd yn dechrau sychu a'r blodau'n gwywo. 'Dwi wedi cael digon ar fod yn haul, dwi eisiau bod yn gwmwl glaw!'

Gwenodd yr ysbryd ar ben y mynydd unwaith eto. (Roedd ganddo amynedd di-ben-draw.) Yna, cododd ei freichiau a throi'r saer yn gwmwl glaw.

Fe lawiodd a glawiodd y saer maen. Llanwodd yr afonydd a gorlifo, a chyn bo hir, roedd popeth o dan ddŵr heblaw am y mynyddoedd.

'Fe liciwn i fod yn fynydd!' meddai'r saer y tro hwn. A chyn iddo fedru gorffen y frawddeg, bron, roedd yn fynydd uchel, hardd.

Roedd y saer yn hoffi bod yn fynydd. Byddai'r awel yn cribo'i gopa gwalltog a'r adar yn trydar ar ganghennau'r goeden ar ei ben.

O'r diwedd, roedd yn hapus. Hyd nes i . . . saer maen arall ddechrau torri darnau ohono i ffwrdd!

'Aw! Hei! OWWWW!' llefodd ein saer maen ni, ond doedd y llall ddim yn ei glywed. 'Dwi ddim eisiau bod yn fynydd rhagor,' meddai. 'Dwi eisiau bod yn saer maen!'

Gwenodd yr hen ysbryd unwaith yn rhagor a chodi ei ddwylo am y tro olaf a – PWFF! Mewn cawod o sêr a gwreichion, fe newidiodd y saer o fod yn fynydd i fod yn saer maen unwaith eto. A dyna ni, roedd y saer maen yn ôl yn y dechrau. Gwenodd a chodi ei forthwyl, gan deimlo pa mor braf oedd bod yn fe ei hunan eto. Yna, fe ddechreuodd ar ei waith heb gwyno o gwbwl, a byw'n hapus ac yn ddedwydd ei fyd byth wedyn.

Taith Zuzia

Roedd Zuzia yn ferch brydferth iawn ac roedd hi'n byw gyda'i thad mewn tŷ moethus yng Ngwlad Pwyl. Byddai hi'n cael popeth roedd hi ei eisiau a byddai'r gweision yn gofalu ar ei hôl bob munud o'r dydd ac yn dweud wrthi ei bod hi'n werth y byd i gyd yn grwn. Fe dyfodd Zuzia i fyny yn meddwl y dylai hi gael ei ffordd ei hunan bob amser.

Ond er bod y gweision yn dotio at Zuzia, roedd merched o'r un oed â hi yn y pentref yn meddwl ei bod hi'n ddiflas ac yn ddrwg ei hwyl. Pan fyddai'r merched eraill yn dawnsio gyda'i gilydd yn hapus, byddai Zuzia wastad yn cael ei gadael ar ei phen ei hun.

'Beth sy'n bod arnyn nhw?' cwynodd Zuzia wrth yr hynaf o'i morynion. 'Dwi eisiau clicio fy mysedd a gwneud iddyn nhw fy hoffi i ar unwaith!'

'O, wel. Os wyt ti eisiau hud a lledrith fel'na, bydd yn rhaid i ti fynd i weld yr hen ddynes ddoeth ar y mynydd,' meddai'r hen forwyn.

'Twt, twt. Fe gaiff un o'r bechgyn o'r stablau fynd â neges ati. Fe gaiff fynd â llond pwrs o arian ati hefyd. Bydd hi'n siŵr o ddweud wrtha i beth i'w wneud ar ôl iddi gael yr arian.'

Ond yn ôl y daeth y negesydd bach a'r pwrs arian yn dal yn llawn.

'Fe ddywedodd yr hen wraig ddoeth fod yn rhaid i ti fynd yno dy hun os wyt ti am ddysgu sut mae gwneud i'r merched eraill ofyn i ti ddawnsio. A dywedodd y bydd yn rhaid i ti gerdded bob cam i fyny'r mynydd.'

Croesodd Zuzia ei breichiau a phwdu am wythnos gyfan, ond penderfynodd mai mynd fyddai'n rhaid iddi os oedd hi am gael hwyl gyda'r merched eraill.

Felly gorchmynnodd y gweision i gasglu'r pethau ar gyfer ei thaith. Roedd arni eisiau esgidiau hardd o'r lledr mwyaf meddal, clogyn o wlanen gynnes a llond cwdyn o fwyd.

Y bore wedyn, fe ddechreuodd Zuzia ar ei thaith. Cerddodd drwy'r dref nes dod o hyd i'r llwybr oedd yn arwain at y mynydd.

Wrth iddi gerdded,
sylweddolodd fod ei hesgidiau
hardd, newydd yn gwasgu
bysedd ei thraed. Yn wir, ar
ôl ychydig, roedd hi'n falch o
weld bwythyn bach ar bwys
y llwybr. Ar fainc y tu allan i'r
bwythyn eisteddai hen fenyw.

'O, mae fy nhraed i'n dost!'
cwynodd Zuzia wrth eistedd i
lawr wrth ochr yr hen fenyw. 'Ac mae gen i filltiroedd i'w cerdded eto!'

Edrychodd yr hen fenyw ar esgidiau Zuzia cyn tynnu ei rhai hithau.

'Dyma'r unig esgidiau sydd gen i,' meddai'r hen fenyw. 'Gan fy mod i wedi'u
gwisgo bob dydd ers blynyddoedd, maen nhw wedi treulio'n gyfforddus iawn.'

Roedd traed Zuzia'n rhy boenus iddi ofidio ryw lawer pa mor hen a
di-siâp oedd esgidiau'r hen fenyw. Fe'u cymerodd nhw, diolch iddi a gadael ei
hesgidiau newydd iddi hithau eu gwisgo.

Dilynodd Zuzia'r llwybr yn uwch ac yn uwch i'r mynyddoedd. Trodd y gwynt
yn fain a thynnu a chwipio'i chlogyn. Duodd y cymylau a syrthiodd dafnau
mawr o law ar ei phen. Fu Zuzia erioed mor falch o weld caban bach pren yn y
coed ar bwys y llwybr.

'O! Dwi mor wlyb!' cwynodd Zuzia. Doedd ei chlogyn gwlanen yn dda i ddim
yn yr holl law.

'Byddai'n well i ti gael y garthen o gynfas sydd ar ein gwely,' meddai'r hen
saer coed oedd yn byw yno, 'ond mae fy ngwraig i'n sâl yn y gwely, ac mae'n
rhaid i ni ei chael i'w chadw hi'n gynnes.'

'Tybed a fyddech chi'n fodlon cyfnewid y garthen gynfas am fy nghlogyn i?'
gofynnodd Zuzia.

'Wrth gwrs,' meddai'r hen ddyn, gan roi hen garthen gynfas garpiog iddi a chymryd y clogyn cynnes yn ei lle.

Cerddodd Zuzia ymlaen gan fwyta ychydig bach o fwyd o'r cwdyn ar ei chefn. Pan gyrhaeddodd ran ucha'r mynydd, fe glywodd blentyn bach yn crio mewn bwthyn bugail tlawd.

Daeth ei fam i'r drws wrth weld rhywun yn cerdded heibio.

'Mae fy mhlentyn bach i eisiau bwyd,' meddai hi'n drist. 'Mae fy ngŵr i wedi mynd â defaid i'r farchnad i'w gwerthu. Bydd yn ei ôl fory, ond mae hynny'n amser hir a'r un bach mor llwglyd.'

Estynnodd Zuzia y cwdyn bwyd i'r fam.

'Cymerwch hwn,' meddai Zuzia. 'Rhowch fara a chaws i'r un bach. Dwi wedi bwyta digon yn barod heddiw.'

Daeth y bachgen bach allan o'r tŷ a thaflu'i freichiau am Zuzia. Cydiodd Zuzia ynddo yntau hefyd cyn cerdded yn ei blaen.

Ar ôl cerdded am sawl awr arall, fe ddaeth Zuzia at dŷ bach pren ar frig y mynydd. Cnociodd a chnocio'r drws ond daeth dim ateb. O'r diwedd gwthiodd y drws ar agor. Yno, gwelodd wely hardd a blodau ffres wedi'u gosod arno. Darllenodd nodyn mewn ysgrifen dlos oedd yng nghanol y blodau.

'Dwi wedi bod yn dy ddisgwyl di ond yn anffodus, bu'n rhaid i mi fynd i rywle arall. Croeso i ti aros heno a phan ei di 'nôl adre, bydd yr ateb yn dy galon.'

Gorweddodd Zuzia i lawr yn syth a chan ei bod hi more flinedig, syrthiodd i drwmgwsg tawel. Y bore wedyn, dihunodd Zuzia a chychwyn yn syth am adre.

Pan gyrhaeddodd hi fwthyn y bugail, roedd y fam a'r bachgen yn trwsio bwcedi y tu allan.

'Fe wnawn ni lawer o waith heddiw,' meddai hi â gwên. 'Dyna'r gwahaniaeth mae pryd da o fwyd yn ei wneud.'

Sylweddolodd Zuzia nad oedd angen bwyd arni bellach. Cerddodd yn syth ymlaen tuag at y caban yn y coed. Yno, roedd gwraig yr hen saer yn eistedd y tu allan yn mwynhau'r heulwen.

'Fe gysgais mor drwm dan y clogyn cynnes, dwi wedi medru codi o'r gwely am y tro cyntaf ers misoedd,' meddai hi'n ddiolchgar.

Tynnodd Zuzia'r garthen gynfas garpiog yn dynnach am ei hysgwyddau. Roedd hi wedi bod werth y byd iddi yn y glaw. Gwenodd a cherdded yn ei blaen i lawr y mynydd.

Ar waelod y mynydd, roedd yr hen fenyw yn eistedd y tu allan i'w bwythyn.

'Dwi'n paratoi ar gyfer fory. Mae fy nith yn priodi. Tybed a gaf i fenthyg dy esgidiau am ychydig bach hirach? Maen nhw'n fy ffitio i'r dim,' gofynnodd i Zuzia.

'Cadwch nhw â chroeso,' meddai Zuzia gan edrych i lawr ar yr esgidiau di-siâp am ei thraed ei hun. 'Y rhain yw'r esgidiau mwyaf cyfforddus yn y byd!'

'Oedd, roedden nhw'n esgidiau da,' meddai'r hen fenyw. 'Eu prynu nhw i ddawnsio wnes i pan oeddwn i'n ifanc fel ti. O! Fe gefais i hwyl yn dawnsio a throi a neidio ynddyn nhw! Efallai y gallet ti ddawnsio ynddyn nhw hefyd.'

Gwenodd Zuzia ar yr hen fenyw a rhedeg a dawnsio a sgipio i ganol y dref. Wrth ei gweld yn dod, edrychodd y merched arni'n syn. Ai Zuzia oedd hon? Roedd gwên lydan ar ei hwyneb ac roedd yna ysbryd cynnes yn ei llygaid. Roedd hi'n symud yn rhwydd yn ei dillad anniben ac yn barod i chwarae. Closiodd y merched ati hi a gofyn, 'Gawn ni ddawnsio gyda ti, Zuzia?'

Oedd, roedd Zuzia wedi bod ar daith hir. Roedd hi wedi troedio'r llwybr ac wedi troi o fod yn ferch fach hunanol a balch i fod yn ferch garedig oedd yn medru gweld yr angen yn eraill. Bu Zuzia'n dawnsio gyda'i ffrindiau bob dydd ar ôl hynny ac roedden nhw'n meddwl ei bod hi'n werth y byd i gyd yn grwn.

Y Dywysoges Bag Papur

Roedd Elizabeth yn dywysoges hardd iawn, yn byw mewn castell mawr ac yn gwisgo dillad prydferth. Roedd hi'n mynd i briodi tywysog golygus o'r enw Ronald.

Yn anffodus i Elizabeth, un diwrnod fe chwalodd draig anferth ei chastell, llosgi ei dillad prydferth a chario Ronald i ffwrdd dan ei chesail fel doli glwt.

Penderfynodd Elizabeth fynd ar ôl y ddraig a chipio Ronald yn ôl. Edrychodd ym mhobman am rywbeth i'w wisgo, ond yr unig beth oedd heb losgi'n ulw oedd bag papur. Aros funud. Beth? Sut na chafodd y bag papur ei losgi'n grimp? meddet ti. Wel, gan dy fod mor fusneslyd . . . aeth

y dywysoges i lawr i'r seler ymhell, bell o dan y castell. Yn fan'no roedd cwpwrdd bwyd ac wrth ochr hen, hen botel o sos coch, roedd y bag papur yma. Byddi'n falch o glywed ei fod yn fag mawr – petai'r un maint â bag siwgr yna byddai pen-ôl y dywysoges wedi bod yn y golwg. A dyw hynny byth yn digwydd mewn stori fel hon, nag yw! Gawn ni fynd 'nôl at y stori nawr? Diolch.

Iawn, gwisgodd Elizabeth y bag papur *mawr* amdani a mynd i ddilyn y ddraig. Roedd hi'n hawdd iawn dilyn y ddraig am ei bod wedi gadael coed ac esgyrn wedi'u llosgi'n ddu ar ei hôl.

O'r diwedd, dyma Elizabeth yn cyrraedd ogof â drws anferth. Cnociodd ar y drws. Cnoc, cnoc, cnoc! Gwthiodd y ddraig ei thrwyn mawr allan.

'Www! Tywysoges! Dwi wrth fy modd yn bwyta tywysoges fel arfer ond dwi wedi bwyta castell cyfan heddiw. Dwi'n brysur iawn. Dere 'nôl fory.'

Caeodd y ddraig y drws â chlep, gan bron â phinsio blaen trwyn Elizabeth.

Cnociodd Elizabeth ar y drws eto. Cnoc, cnoc, cnoc!

Gwthiodd y ddraig ei thrwyn mawr allan unwaith yn rhagor.

'Cer o'ma!' meddai eto. 'Dwi wrth fy modd yn bwyta tywysoges fel arfer ond dwi wedi bwyta castell cyfan heddiw. Dwi'n brysur iawn. Dere 'nôl fory.'

'Aros!' gwaeddodd Elizabeth cyn i'r ddraig gael cyfle i gau'r drws unwaith eto. 'Ydi'r straeon amdanat ti'n wir?' gofynnodd y dywysoges.

'Pa straeon?' gofynnodd y ddraig, a'i llygaid yn culhau.

'Mai ti yw'r ddraig glyfra a ffyrnica yn y byd.'

'Wel, ydyn siŵr,' meddai'r ddraig, a'i phen yn dechrau chwyddo.

'Ydi hi'n wir dy fod yn medru llosgi deg o goedwigoedd ag un anadl?'

'Wrth gwrs,' atebodd y ddraig. Yna, fe dynnodd anadl ddofn a chwythu cymaint o dân o'i cheg nes iddi losgi pum deg o goedwigoedd yn ulw.

'Ffantastig,' meddai Elizabeth. Ac yna, er mwyn dangos ei hun, fe dynnodd y ddraig anadl ddofn arall a llosgi cant o goedwigoedd yn grwn!

'Bendigedig,' gwichiodd Elizabeth. Ac yna, fe dynnodd y ddraig anadl ddofn arall, ond y tro yma, daeth dim byd allan. Dim fflam, dim mwg, dim byd. Doedd dim digon o wres ar ôl ganddi i ffrio sosej.

'Nawr 'te,' meddai Elizabeth, 'ydi hi'n wir dy fod ti'n medru hedfan o gwmpas y byd i gyd mewn deg eiliad?'

'Wel, wrth gwrs 'ny,' atebodd y ddraig, cyn neidio i fyny a hedfan o gwmpas y byd mewn deg eiliad.

Roedd hi'n pwffian ychydig pan ddaeth yn ei hôl ond fe gurodd Elizabeth ei dwylo'n frwd a gweiddi, 'Eto! Eto!'

A neidiodd y ddraig i fyny a hedfan o gwmpas y byd – mewn ugain eiliad y tro hwn. Roedd y ddraig yn goch iawn pan ddaeth hi 'nôl, a gorweddodd ar y llawr a mynd yn syth i gysgu.

Aeth Elizabeth at ei chlust a sibrwd, 'Hei, Draig! Draiiiiiig!' Ond roedd y ddraig yn cysgu'n sownd ac yn chwyrnu, Ch! Ch! CH! CH! CH! CH!

Yna, cydiodd Elizabeth yng nghlust anferth y ddraig a gweiddi nerth ei phen, 'HEI, DRAIG!' Roedd y ddraig wedi blino cymaint fel na wnaeth hi ddim symud gewyn.

Cerddodd Elizabeth yn syth at yr ogof ac agor y drws. Yno, roedd y Tywysog

Ronald. Edrychodd Ronald i lawr ei drwyn arni a dweud, 'Wel, Elizabeth, drycha arnat ti! Rwyt ti'n drewi o ludw ac yn gwisgo hen fag papur brwnt. Ych-y-pych! Dere 'nôl pan wyt ti'n edrych fel tywysoges go iawn, wir.'

'Nawr 'te, Roni bach,' meddai Elizabeth, 'mae dy ddillad di'n hardd a dy wallt yn gymen ac yn dwt. Rwyt ti'n edrych fel tywysog go iawn. Ond rwyt ti hefyd yn hen ben-ôl mawr pinc, diog a dwi ddim moyn dy briodi di wedi'r cyfan.'

A cherddodd Elizabeth tuag at y machlud yn hapus iawn ar ei phen ei hun.

Aderyn Prin

Amser maith yn ôl, roedd yna genedl o bobol o'r enw y Chippewa ac roedden nhw mor niferus â dail y coed. Roedden nhw'n byw ar bwys y llyn mawr, a elwir heddiw yn Llyn Superior, sydd rhwng Canada ac Unol Daleithiau America. Ac yn eu mysg roedd merch o'r enw Aderyn Prin yn byw. Hi oedd unig ferch Eryres a Dyn y Wawr ac roedd pawb yn rhyfeddu ati. Roedd hi'n gryf ac yn dalsyth fel y fedwen arian a'i llais hi'n glychau i gyd fel cân yr afon. Yn wir, byddai rhyfelwyr dewr yn dod at ei mam a'i thad yn aml ac yn gofyn am ei chael yn wraig. Dim ond edrych arnyn nhw'n oeraidd â'i llygaid llwyd wnâi Aderyn Prin. Gwrandawai arnyn nhw'n brolio am eu gallu i hela, ac edrychai arnyn nhw'n dangos eu sgiliau a'u cryfder. Syllai ar yr anrhegion a osodwyd wrth ei thraed. Ond dim ond troi ei chefn wnâi Aderyn Prin bob tro, nes i rai yn y pentref ddechrau dweud bod ei chalon wedi'i gwneud o rew y gaeaf.

Ceisiodd ei thad doddi fymryn ar galon ei ferch. Broliodd gampau'r rhyfelwyr ifanc a mynd ati i ddewis a dethol bechgyn addas iddi. Ond dim ond cydio yn llaw ei thad wnâi Aderyn Prin bob tro a dweud, 'Mae gen i rieni i'w caru a thad i'm hamddiffyn i. Dwi ddim angen gŵr.'

Un noson, cerddodd Dyn y Wawr allan i ganol y pentref a chyhoeddi ei neges.

'Os ydych yn dymuno priodi Aderyn Prin, dewch at eich gilydd ymhen wythnos i lan y llyn. Yno, byddwn yn trefnu ras, ac fe gaiff yr enillydd briodi Aderyn Prin a mynd â hi i'w gartref.'

Wrth glywed y geiriau fe lanwodd calonnau'r rhyfelwyr â gobaith. Dechreuon nhw baratoi ac roedd pob un ohonyn nhw'n gobeithio am ysgafnder troed y carw chwim.

Ar fore'r ras roedd torf o bobol ar lan y llyn a rhyfelwyr gorau'r wlad wedi dod yno. Roedd pobol y pentref wedi dod hefyd, yn eiddgar i gael gweld pwy fyddai'n priodi Aderyn Prin. Roedd cyrff y rhyfelwyr wedi'u peintio a'u gwalltiau wedi'u plethu â phlu eryrod. Dim ond un person oedd ar ôl yn y pentref, ac Aderyn Prin oedd honno, yn crio yng nghartref ei mam a'i thad.

Pan oedd pawb yn barod, safodd y rhyfelwyr mewn rhes, a chroen eu cyrff cyhyrog yn sgleinio fel efydd yn yr haul. Roedd eu calonnau'n curo fel drymiau rhyfel. Ac yna, dechreuwyd y ras. Cyn hir, roedd dau redwr ar y blaen. Bwa Hyblyg oedd enw un a Heliwr Ceirw oedd y llall. Roedd y ddau wedi caru Aderyn Prin ers troad sawl lleuad. Roedd y ddau yn ysgafn eu troed ac yn chwim fel y gwynt. Rhedodd y ddau a chroesi'r llinell gyda'i gilydd. Roedd hi'n amhosib dweud pwy oedd wedi ennill.

Felly dyma Bwa Hyblyg a Heliwr Ceirw'n rhedeg eto. Ac unwaith eto, fe groesodd y ddau y llinell gyda'i gilydd. Rhedwyd y ras am y trydydd tro ac, unwaith eto, doedd dim enillydd.

'Gadewch iddyn nhw neidio, i weld pwy sy'n medru neidio uchaf,' awgrymodd rhywun. Ond er i'r ddau neidio yn erbyn ei gilydd dair gwaith, doedd 'run yn medru curo'r llall, hyd yn oed o drwch blewyn.

'Gadewch iddyn nhw ddangos eu gallu wrth hela,' meddai rhywun arall. A'r bore wedyn, fe aeth Bwa Hyblyg a Heliwr Ceirw allan i hela.

Ac fe ddaeth y ddau yn ôl a chyflwyno crwyn deg arth ac ugain blaidd yr un.

Dyna ryfedd! Aeth si ofnus drwy'r dorf. 'Mae'r Ysbrydion Mawr wedi bod ar waith,' meddai sawl un.

Pan aeth Dyn y Wawr adref, â chalon drom, gwelodd Aderyn Prin yn eistedd a'i llygaid yn goch gan ddagrau a'i dwylo'n crynu i gyd.

'Paid â chrio,' meddai Dyn y Wawr. Roedd e'n dad da ac yn casáu gweld ei ferch yn drist. 'Mae'n rhaid i bob dyn gael gwraig, ac i bob gwraig gael gŵr,' esboniodd yn garedig.

'Ond beth os nad ydw i eisiau gŵr?' gofynnodd Aderyn Prin.

Edrychodd Dyn y Wawr i fyw llygaid ei ferch a nodio'n drist. Aeth yn ôl at y dorf wrth y llyn a datgan, 'Mae'r gystadleuaeth ar ben. Mae Bwa Hyblyg a Heliwr Ceirw wedi dangos eu hunain yn ddynion da ond mae'r Ysbrydion Mawr ar waith. Oherwydd hynny, ni chaiff Aderyn Prin ŵr a fe gaiff hi fyw gyda'i mam a'i thad am byth.'

Aeth sawl haf a hydref heibio yn un fflam o liw cynnes. Un diwrnod, a'r gwanwyn yn chwyddo'r aeron yn y coed a dŵr oer y mynydd wedi cynhesu digon i blant allu nofio ynddo, aeth Dyn y Wawr i Fynydd y Coed Masarn. Yno byddai'n casglu sudd y coed i wneud siwgr. Aeth Aderyn Prin gydag ef i gynnau tân, ac wrth iddi wylio mwg y tân yn troelli i'r awyr, cododd ei phen a gweld ei thad yn y pellter. Ac er ei fod yn ddiwrnod clir a'r awel yn llawn o arogl pinwydd a siwgr masarn, daeth teimlad trwm dros galon Aderyn Prin. Sylwodd ar wallt lliw arian ei thad yn un blethen wen – gwallt a fu unwaith mor ddu â'r frân. Roedd ei gamau'n ofalus a henaint wedi crymu ei gefn. Byddai ei thad, a'i mam hefyd, yn teithio i'r meysydd hela pell cyn bo hir.

Ond beth wna i? meddyliodd Aderyn Prin. Does gen i ddim brawd na chwaer, dim gŵr na phlant.

Ac am y tro cyntaf erioed fe deimlodd unigrwydd yn garreg galed yn ei chalon. Edrychodd ar flodau'r lili wen fach yn gwthio'u pennau bregus drwy'r eira. Roedd y rheini mewn clystyrau, un ar bwys y llall. Roedd parau o adar wrthi'n adeiladu nythod, yn barod ar gyfer eu teuluoedd bach. Uwch ei phen, hedfanai'r gwyddau gwylltion cyn glanio ar y llyn a nofio i ffwrdd, bob yn ddau.

Dyw'r blodau na'r adar, na'r gwyddau gwylltion ddim yn byw ar eu pennau eu hunain, meddyliodd hi'n drist.

Tynnodd ei siôl yn dynnach amdani. Cofiodd am y dynion ifanc oedd yn arfer dod i ofyn iddi eu priodi. Doedd neb yn dod erbyn hyn. Cofiodd am y ras drefnodd ei thad. Fyddai e byth yn sôn am ŵr iddi erbyn hyn.

Ond er hyn i gyd, roedd hi'n dal yn falch na wnaeth hi briodi.

Eisteddodd Aderyn Prin wrth y tân am amser hir, yn gwylio hwnnw'n diffodd. Yna cododd ei phen unwaith eto. Erbyn hyn, roedd y lleuad yn fawr ac yn grwn yn yr awyr ac yn anfon llwybr arian i lawr ar draws y llyn at ei thraed. Daeth dagrau i'w llygaid.

'Rwyt ti mor hardd,' meddai hi wrth y lleuad. 'Pe gallwn i dy garu di, fyddwn i ddim yn unig.'

Fe glywodd yr Ysbrydion Mawr ei chri a chario Aderyn Prin i fyny ac i fyny ar hyd y llwybr arian at y lleuad. Cofleidiodd y lleuad hi a'i dal yn dynn.

Cyn iddi dywyllu'n llwyr, daeth Dyn y Wawr yn ôl at y tân a oedd erbyn hyn yn lludw oer. Doedd dim sôn am Aderyn Prin. Cerddodd tuag adref ond doedd dim sôn amdani yn y fan honno chwaith. Daeth yn ôl at y mynydd unwaith eto.

'Aderyn Prin! Aderyn Prin!' gwaeddodd, a'i lais yn dechrau torri. Ond daeth dim ateb.

Edrychodd ar y coed. Edrychodd ymysg y llwyni. Edrychodd ar lan y llyn. Yna, edrychodd i fyny, i fyny at y lleuad. Ac yno, yng nghoflaid y lleuad roedd wyneb ei ferch. Yn gwenu arno.

Roedd ei hwyneb yn llonydd ac yn falch.

Doedd dim raid i Ddyn y Wawr boeni mwyach – am ei ddyfodol ef na dyfodol Aderyn Prin. Roedd yn gwybod bod y lleuad yn ei charu. Roedd hi wedi dewis ei llwybr hi ei hun ac roedd hi'n hapus. Yn ei galon, fe wyddai Dyn y Wawr mai dyna oedd yn bwysig.

Mae sawl troad o'r lleuad wedi bod ers dyddiau Aderyn Prin a phobol y Chippewa. Lle unwaith y buon nhw mor niferus â dail y coed, erbyn hyn maen nhw fel dail prin wedi crino. Mae'r dyn gwyn wedi chwalu eu pentrefi ac mae beddau'r bobol wedi'u hanghofio. Ond er hyn i gyd, mae'r blagur yn dal i chwyddo yn y gwanwyn, mae'r adar yn dal i nythu yn y llwyni, mae'r gwyddau gwylltion yn dal i hedfan ac mae'r sêr yn dal i loywi'r nen. Ac os edrychi di i fyny ar y lleuad, fe weli di wyneb Aderyn Prin yn gwenu i lawr arnat ti, yn rhoi gobaith a chysur i unrhyw un sy'n ddigon dewr i ddewis ei lwybr ei hun.

Ffŵl y Byd a'r Llong Hud

Erstalwm iawn, mewn pentref bach, mewn gwlad fawr o'r enw Rwsia, roedd hen ddyn a menyw yn byw. Roedd ganddyn nhw dri mab – dau oedd yn glyfar ac yn amhosib i'w twyllo ac un mab, wel, un a oedd yn cael ei alw'n 'Ffŵl y Byd'. Roedd Ffŵl y Byd yn hawdd i'w dwyllo, yn meddwl dim drwg nac yn gwneud dim drwg, chwaith. Roedd ei rieni'n meddwl y byd o'u meibion clyfar ond prin yn edrych ar y trydydd mab, druan. Yn wir, weithiau, byddai'n lwcus i gael crystyn sych ar gyfer ei swper.

Un diwrnod, aeth si drwy'r pentref. Roedd y Tsar wedi anfon neges o amgylch y wlad i ddweud y byddai'n fodlon rhoi ei unig ferch yn wraig i'r dyn a allai ddod â llong hud ato. Llong hud oedd yn medru hedfan! Llong hud a allai hwylio drwy'r awyr las fel petai'n fôr.

'Dyma'n cyfle ni!' meddai'r ddau fab hynaf, gan benderfynu gadael y pentref y diwrnod hwnnw i adeiladu llong hud a phriodi'r dywysoges. Roedd y ddau'n hoffi'r syniad o fod yn bobol bwysig.

Rhoddodd eu tad ddillad crand iddyn nhw ill dau, rhai llawer crandiach nag y byddai ef ei hun yn eu gwisgo. Paciodd eu mam y bwyd gorau iddyn nhw, sef bara gwyn meddal, cig blasus a photeli o fodca. Aeth eu rhieni i'w hebrwng o'r pentref a ffarwelio â nhw gan wylo. A dyna'r tro olaf i unrhyw un eu gweld. Chlywodd neb ddim o'u hanes nhw byth wedyn.

'Byddwn innau'n hoffi mynd i adeiladu llong hud hefyd,' meddai Ffŵl y Byd.

'Paid â bod yn wirion,' dwrdiodd ei fam. 'Dwyt ti ddim yn ddigon clyfar.'

Ond allen nhw ddim atal Ffŵl y Byd rhag mynd. Roedd e mor benderfynol, doedd gan ei fam ddim dewis ond taflu ychydig o grystiau sych i mewn i sach, a photel o ddŵr ar gyfer ei daith. Wnaeth ei rieni ddim hebrwng Ffŵl y Byd allan o'r pentref, dim ond troi ar y rhiniog a chau'r drws arno.

Doedd Ffŵl y Byd ddim wedi cerdded ymhell cyn iddo weld dyn hen iawn ar bwys yr heol a chanddo gefn crwm a barf hir, wen.

'Bore da i ti,' meddai'r hen ddyn.

'Bore da, gyfaill,' meddai Ffŵl y Byd.

'Oes gen ti ychydig fwyd i hen ddyn fel fi?' gofynnodd yr hen ddyn.

'Oes, mae croeso i ti rannu fy mwyd,' meddai Ffŵl y Byd, 'ond does gen i ddim llawer sy'n ddigon da i rannu â chyfaill, cofia.'

'Wel, dere i eistedd,' meddai'r hen ddyn, 'ac fe rannwn ni'r hyn y mae Duw wedi'i roi i ni.'

Ond pan agorodd Ffŵl y Byd yr hen sach fudr, beth oedd ynddi ond bara gwyn meddal, cig blasus, caws a fflasg anferth o fodca!

'Ti'n gweld,' meddai'r hen ddyn, 'mae Duw yn caru'r rhai caredig.'

A dyma'r ddau'n bwyta llond eu boliau ac yn canu cân neu ddwy nes bod raid i Ffŵl y Byd fwrw ymlaen ar ei daith.

'Gwranda,' meddai'r hen ddyn cyn iddo fynd, 'dos i mewn i'r goedwig acw, a dos at y goeden fwya weli di. Gwna arwydd y groes dair gwaith ar dy frest cyn taro'r goeden â dy fwyell. Cwympa'n ôl ar dy gefn wedyn a gorwedd yno nes i rywun dy ddihuno di. Os gwnei di hynny, daw llong hud i sefyll o dy flaen di, yn barod i hedfan. Ond cofia gynnig sedd arni i unrhyw un weli di ar y daith.'

Diolchodd Ffŵl y Byd i'r hen ddyn ac aeth i'r goedwig i chwilio am y goeden fwyaf oedd yno. Gwnaeth yn union fel y dywedodd yr hen ddyn. Gorwedd ar ei gefn yn cysgu roedd e pan deimlodd rywun yn ysgwyd ei fraich. Agorodd ei lygaid a gweld neb yno, dim ond y llong hud harddaf a welodd unrhyw un erioed. Neidiodd ar ei bwrdd a gwylio'r hwyl fawr yn llenwi â gwynt cyn iddi godi fry uwchben y coed.

Roedd Ffŵl y Byd yn hedfan yn chwim drwy'r awyr yn ei long pan welodd ddyn islaw yn gorwedd ar y llawr â'i glust wedi'i gwasgu i'r ddaear.

'Beth wyt ti'n ei wneud, gyfaill?' gofynnodd i'r dyn.

'Gwrando ar holl ryfeddodau'r byd,' atebodd y Gwrandawr.

'Cymer dy le ar y llong hud!' meddai Ffŵl y Byd. A theithiodd y ddau ymlaen dan ganu.

Yna, fe welodd Ffŵl y Byd ddyn yn neidio ar un goes.

'Beth wyt ti'n ei wneud yn neidio ar un goes, gyfaill?' gofynnodd Ffŵl y Byd.

'Fi yw'r Brasgamwr. Mae'n rhaid i mi neidio ar un goes neu byddai'r ddwy goes yn fy nghario i ar draws y byd i gyd.'

'Cymer dy le ar y llong hud!' meddai Ffŵl y Byd. A theithiodd y tri ymlaen dan ganu.

Wedyn, fe welodd Ffŵl y Byd ddyn yn anelu dryll at rywbeth.

'At beth wyt ti'n saethu, gyfaill?'

'Dwi'n medru saethu aderyn sy'n hedfan mil o filltiroedd i ffwrdd. Yn rhy bell i ti weld,' meddai'r Saethwr.

'Cymer dy le ar y llong hud!' meddai Ffŵl y Byd. A theithiodd y pedwar ymlaen dan ganu.

Ar ôl ychydig, fe welodd Ffŵl y Byd ddyn yn cario sach yn llawn o fara ar ei gefn.

'I ble rwyt ti'n mynd, gyfaill?' gofynnodd Ffŵl y Byd.

'I nôl bara ar gyfer fy swper,' atebodd y dyn.

'Ond mae gen ti lond sach ar dy gefn yn barod.'

'Beth! Hwn? Dyw hwn ddim yn llond ceg, hyd yn oed,' meddai'r Bwytwr Mawr.

'Cymer dy le ar y llong hud!' meddai Ffŵl y Byd. A theithiodd y pump ymlaen tan ganu.

A chyn hir fe welodd Ffŵl y Byd ddyn yn cario bwndel mawr o frigau ar ei ysgwydd.

'I ble rwyt ti'n mynd â'r brigau 'na, gyfaill?' gofynnodd Ffŵl y Byd.

'Nid brigau cyffredin yw'r rhain,' atebodd y Coediwr. 'Petawn i'n eu gollwng ar y llawr, byddai byddin o filwyr yn codi yn y fan a'r lle.'

'Cymer dy le ar y llong hud!' meddai Ffŵl y Byd. A theithiodd y chwech i ymlaen dan ganu.

Pan gyrhaeddodd y llong balas y Tsar, roedd hwnnw'n bwyta ei swper. Anfonodd was at y llong hud i weld pa ddyn bonheddig oedd yn gapten arni. Ond pan welodd y gwas Ffŵl y Byd a'r dynion eraill tlawd yr olwg, aeth yn ôl a dweud wrth y Tsar nad oedd dyn bonheddig i'w weld yno. Nawr, doedd y Tsar ddim yn hoffi'r syniad o roi ei unig ferch yn wraig i ddyn tlawd, felly dyma feddwl am ffordd i ddod allan o'r fargen.

'Mae'n rhaid i'r dyn sydd am briodi fy merch
ddod â photel o ddŵr i mi o'r ffynnon hud sydd yr
ochr draw i'r byd, a hynny cyn i mi orffen swper.'

Aeth y gwas â'r neges at Ffŵl y Byd. Doedd e
ddim yn gwybod beth i'w wneud ond dywedodd
y Brasgamwr wrtho:

'Gad hyn i mi,' a chamu ar draws y byd yn grwn
ag un cam yn unig. Llanwodd y botel â dŵr hud
ac yna, gan ei fod wedi bod mor gyflym, aeth i
eistedd i gael hoe fach o dan gysgod melin wynt
gerllaw.

Yn ôl yn y palas, roedd y Tsar bron â gorffen ei
swper a doedd dim sôn am y Brasgamwr.

'Gad i mi wrando,' meddai'r Gwrandawr wrth Ffŵl y Byd, a dechrau
clustfeinio.

'Hmmm, mae'r Brasgamwr yn chwyrnu o dan gysgod melin wynt miloedd
o filltiroedd i ffwrdd.'

'Dewch i mi gael helpu, gyfeillion,' meddai'r Saethwr. Cododd ei ddryll a
saethu un o hwyliau'r felin wynt. CRAC! Clywodd y Brasgamwr y sŵn uwch ei
ben a neidio i'w draed. Camodd yn ôl i'r palas mewn eiliad. Aeth y gwas â'r dŵr
hud at y Tsar.

Hmmm, meddyliodd y Tsar, dyw capten y llong hud ddim yn ffŵl. Mi wna i
roi tasg anodd arall iddo.

Aeth y gwas â neges arall at Ffŵl y Byd. 'Dim ond capten ar griw sy'n gallu
bwyta deuddeg o eidion wedi'u rhostio a phedwar deg torth o fara i swper gaiff
briodi'r dywysoges.'

'Dim problem,' meddai'r Bwytwr Mawr. A dyma'r gweision yn cario'r bwyd i'r
llong a'r Bwytwr Mawr yn ei fwyta fel petai'n llyncu awyr iach.

Roedd y Tsar yn methu credu ei glustiau pan ddywedodd y gwas wrtho fod y bwyd i gyd wedi diflannu.

'Wel,' meddai'r Tsar, 'os yw e'n benderfynol o briodi'r dywysoges, gad iddo ddangos ei fod yn medru edrych ar ei hôl hi,' meddai wedyn. 'Gad iddo ddod â byddin ataf.'

Ysgydwodd Ffŵl y Byd ei ben ar ôl clywed am y dasg ddiweddaraf, ond chwerthin wnaeth y Coediwr. Taflodd ei fwndel o frigau i'r llawr ac fe gododd filwyr rif y gwlith o'r ddaear. Cannoedd ar filoedd o filwyr cryf a thalsyth, bob un mewn lifrai hardd ac yn cario arfau sgleiniog. Edrychodd y Tsar allan o'r ffenest a gweld y fyddin anferth yn estyn ymhell i'r gorwel. Llyncodd ei boer. Roedd Ffŵl y Byd wedi'i guro. Anfonodd y Tsar yn anrhegion a chyfarchion i'r llong a gwahodd Ffŵl y Byd i'r palas.

Fe briododd Ffŵl y Byd y dywysoges y diwrnod hwnnw. Pan welodd hi mor garedig a gonest oedd ei gŵr, syrthiodd mewn cariad ag e. A bu'r ddau yn byw yn hapus gyda'i gilydd weddill eu hoes, a phawb yn gwrando'n astud ar eiriau doeth Ffŵl y Byd.

Yr Ardd Hud

Amser maith yn ôl, mewn gwlad bell o'r enw Kazakhstan, roedd dau gymydog yn byw. Ffermwr oedd Asan a bugail oedd Hassan. Roedd y ddau yn ffrindiau gorau.

Un flwyddyn, daeth y gaeaf mwyaf caled a welwyd erioed yn y wlad honno. Cuddiwyd y borfa ag eira trwchus a rhewodd pob afon a llyn. Er i Hassan frwydro i gadw'i ddefaid yn ddiogel, roedd yr oerfel yn drech na nhw a bu farw pob un o'i ddiadell. Aeth Hassan i weld ei ffrind â dagrau yn ei lygaid. 'Mae fy nefaid i gyd wedi mynd,' meddai. 'Alla i ddim gwneud bywoliaeth hebddyn nhw. Mae'n rhaid i mi adael, Asan, a chwilio am waith yn rhywle arall. Hwyl fawr, fy ffrind.'

'Aros!' meddai Asan yn syth. 'Dwi ddim am i ti fynd. Fe gei di hanner fy nhir ac fe gawn ni rannu fy fferm i.'

Allai Hassan ddim credu ei glustiau. 'Asan, rwyt ti'n garedig iawn ond alla i ddim derbyn dy gynnig. Mae dy fferm di'n rhy fach i dy gadw di heb sôn am . . .'

'Dim o gwbwl,' meddai Asan yn bendant. 'Rwyt ti'n ffrind i mi a dyma dy

gartref di. Bydd raid i ni'n dau
ddysgu bodloni ar lai.'

Llifodd y dagrau o lygaid
Hassan wrth glywed geiriau
caredig ei ffrind ac fe gydiodd
ynddo'n ddiolchgar. Daeth yr hen
fugail i fyw gyda'i ffrind.

Meddalodd caredigrwydd Asan
ychydig ar y gaeaf caled a chyn
bo hir daeth gwanwyn hyfryd.
Gweithiodd y ddau ffrind ochr yn
ochr yn hapus am flynyddoedd,
yn rhannu'r gwaith, yn rhannu
eu harian ac yn rhannu eu bara.
Ond un diwrnod, a Hassan yn
gweithio'n galed mewn cae,
trawodd ei gaib â CHLONC!
enfawr yn erbyn rhywbeth caled

yn y pridd. Hen grochan mawr. Tynnodd Hassan y crochan o'r ddaear ac
edrych i mewn iddo. Lledodd ei lygaid mewn syndod pan welodd ddegau
o ddarnau aur crwn! Rhedodd Hassan i'r tŷ.

'Edrych, Asan! Edrych! Rwyt ti'n gyfoethog! Fydd dim angen i ti weithio byth
eto!'

Gwenodd Asan. 'Rwyt ti'n garedig iawn, Hassan,' meddai Asan. 'Ond dy aur
di yw hwnna; ti ddaeth o hyd iddo ar dy hanner di o'r fferm.'

'Rwyt ti wedi bod yn rhy garedig yn barod,' atebodd Hassan gan estyn y
crochan iddo. 'Dyma ti. Cymer dy drysor.'

Siglodd Asan ei ben. 'Na, dy drysor di yw e.'

Am y tro cyntaf erioed, dechreuodd Hassan ac Asan ffraeo. Doedd 'run o'r ddau yn fodlon ildio. Yn y diwedd, fy gytunon nhw i fynd at ddyn doeth o bentref cyfagos i weld beth ddywedai hwnnw.

Aeth Asan ac Hassan i babell hardd y dyn doeth ac esbonio asgwrn y gynnen. Gwrando'n astud ar yr hanes wnaeth y dyn doeth a'i bedwar disgybl. Yna, ar ôl tawelwch hir, trodd y dyn doeth at yr hynaf o'i ddisgyblion. 'Dyma sefyllfa ddiddorol,' meddai'r dyn doeth yn dawel. 'Beth fyddai dy gyngor di?'

Atebodd y disgybl cyntaf yn syth. 'Mae'r ateb yn hollol amlwg,' meddai'n sicr. 'Daeth yr aur o'r ddaear. Does 'run o'r ddau ddyn yma'n fodlon ei gadw, felly fe ddylen nhw ei gladdu yn ôl yn y ddaear.'

Meddyliodd y dyn doeth am funud cyn troi at yr ail ddisgybl. 'A beth amdanat ti? Beth fyddet ti'n ei gynghori?'

'Daeth y dynion hyn â'r aur atoch chi,' atebodd hwnnw'n ofalus. 'Efallai y dylech *chi* ei gadw.'

Rhwbiodd y dyn doeth ei ên am ychydig cyn troi at y trydydd disgybl. 'A beth yw dy gyngor di?' gofynnodd.

'Daeth y trysor o'r cae – cae sy'n rhan o'r deyrnas ein brenin, y Khan,' meddai. 'Fe biau'r deyrnas, felly dylai'r dynion roi'r trysor i'r Khan.'

Caeodd y dyn doeth ei lygaid cyn troi at y disgybl ieuengaf. 'Beth sydd gen ti i'w ddweud, Arman bach?'

Siglodd Arman ei ben. 'Wel, mae gen i un syniad,' meddai'n ansicr. 'Pe bawn *i*'n gorfod dewis beth i'w wneud â'r trysor, byddwn i'n prynu hadau ac yna'n plannu gardd . . .' Dechreuodd Arman ddisgifio'r ardd fwyaf hyfryd erioed lle byddai pawb yn yr ardal yn medru dod i orffwys a mwyhau. Byddai'r llwyni'n llawn o adar lliwgar a'r lawntiau'n llawn anifeiliaid. Byddai'r blodau llachar yn denu pilipalod hudolus, a gwenyn prysur yn gwneud mêl . . .

Gwrandawodd y dyn doeth yn astud a'i lygaid ynghau. 'Rwyt ti'n ddoeth

iawn,' meddai o'r diwedd. Trodd y dyn doeth at Hassan ac Asan. 'Ydych chi'n cytuno?' gofynnodd.

Edrychodd y ddau ar ei gilydd. 'Ydyn. Gardd. Dewch i ni gael plannu'r ardd harddaf a welwyd erioed yn y deyrnas!'

Rhoddwyd y trysor i'r bachgen a dweud wrtho am fynd i'r ddinas i brynu'r hadau gorau yn y wlad. Bu Arman yn cerdded am dri diwrnod cyfan cyn iddo gyrraedd y ddinas fawr. Ac O! Fe gafodd ei swyno gan y sŵn a'r bwrlwm a'r lliwiau! Roedd masnachwyr yn gweiddi a phlant yn chwarae. Clywodd ddwsin o ieithoedd yn dawnsio yn ei glustiau ac aroglau sbeis a blodau yn cosi ei drwyn. Cerddodd a cherdded nes cyrraedd y gwerthwr hadau o'r diwedd.

Yn edrych ar yr holl hadau hyfryd roedd Arman pan glywodd wichian a thrydar uchel y tu ôl iddo. Trodd i weld adar o bob math yn cael eu cario gan garafán o gamelod. Roedd yna filoedd o adar a'r rheiny i gyd yn crynu yn eu cewyll. Roedd eu llygaid yn ofnus a'u plu yn llychlyd. Roedd eu pennau'n bwrw yn erbyn ochrau'r cewyll â phob cam y cymerai'r camelod. Allai Arman byth â goddef y fath olygfa.

'Beth wyt ti'n ei wneud â'r adar yna?' gwaeddodd Arman ar y dyn â llygaid creulon a oedd yn arwain y camelod.

'I'r Khan mae'r rhain,' meddai'r dyn yn ddiamynedd. 'Bydd yn eu bwyta ac yna'n defnyddio'r plu i addurno'i balas. Dwi wedi dal adar o'r mynyddoedd a'r coed, adar o'r brithdiroedd a'r corsydd. Mae'r rhain yn adar prin – rhai ohonyn nhw yw'r olaf o'u bath.' Teimlodd Arman ei galon yn drwm.

'Cymer hwn!' meddai'r bachgen, gan estyn y trysor at y dyn â'r llygaid creulon. 'Fe gei di'r aur yma os gwnei di adael i'r adar yma fynd yn rhydd.'

Lledodd llygaid creulon y dyn a chipiodd y cwdyn llawn aur oddi ar Arman cyn iddo newid ei feddwl.

Yna dechreuodd Arman agor y cewyll. Agorodd yr adar cryfaf yn eu hadenydd a gwibio o'u cewyll yn ddiolchgar. Eisteddai'r adar gwannaf yng nghanol llwch eu cewyll yn magu nerth cyn hedfan. Gwyliodd Arman nhw'n mynd, ac wrth iddyn nhw ddringo i'r cymylau, teimlodd ei galon yn ysgafnach. Bu'n agor cewyll drwy'r dydd ac, yn y diwedd, dim ond un drudwy bach oedd ar ôl yn ei ddwylo.

'Dere,' sibrydodd Arman. 'Hedfana!'
Taflodd Arman y drudwy i'r awyr ac
agorodd hwnnw ei adenydd a hedfan.
Gwenodd Arman wên lydan cyn sgipio
'nôl am adref.

Ond wrth i Arman agosáu at y pentref,
dechreuodd ei galon suddo unwaith
eto. Cofiodd am yr hadau wnaeth e
mo'u prynu. Cofiodd am y dyn doeth.
Meddyliodd am Hassan ac Asan a'u
gardd hyfryd. Roedd pawb wedi
ymddiried ynddo ac yntau wedi gwario'r
aur i gyd, a dim i'w ddangos amdano.
Fydd 'na ddim gardd hyfryd, meddyliodd
Arman. Fydd 'na ddim blodau na lle i
bawb fwynhau. Disgynnodd y bachgen
ar ei liniau ac wylo mewn cywilydd.
Ond wrth i ddagrau Arman gwympo'n
wlyb i'r llwch, fe glywodd sŵn uwch ei
ben. Sŵn siffrwd. Sŵn plu. Sŵn trydar.
Edrychodd i fyny a gweld bod yr awyr yn
llawn adar.

'Fe wnest ti ein hachub ni,' meddai'r
adar yn un côr. 'Felly dere i ni gael dy
achub dithau.' Edrychodd Arman yn
syn wrth weld yr adar yn glanio ac
yn dechrau crafu'r ddaear. Yn paratoi
tyllau. Daeth rhai o wledydd pell â

hadau hyfryd yn eu pigau. Crafodd yr eryrod dyllau dyfnion ac fe lanwodd y pelicanod y tyllau â dŵr er mwyn creu llynnoedd. Ar ôl iddyn nhw orffen crafu a phlannu, fe gododd yr adar yn un haid uwch ei ben. Wrth i'r adar ysgwyd eu hadenydd lledodd ryw hud o'u plu. Yn sydyn, gwelodd Arman yr hadau'n chwyddo ac yn tyfu o flaen ei lygaid a blodau lliwgar yn agor! Fe welodd goed yn codi eu pennau ac yn tyfu'n dalsyth o gwmpas y llynnoedd hardd. Rholiodd y borfa allan yn lawntiau gwyrddion a llanwyd y llwyni tlws â blodau.

Blagurodd blodau gwyn a phinc ar y coed afalau cyn syrthio a gadael afalau crwn hyfryd yn eu lle. Gwyliodd Arman mewn rhyfeddod, a chanu angylaidd yr adar fel cerddorfa yn ei glustiau.

Tynnodd Arman un o'r afalau hyfryd a rhedeg nerth ei draed at babell y dyn doeth. Adroddodd ei stori â'i wynt yn ei ddwrn ac edrychodd y dyn doeth yn syn arno. Yna, fe gydiodd y dyn doeth yn yr afal a'i flasu. Ac wrth i'r afal blasus doddi yn ei geg, gwyddai'r dyn doeth fod y darnau o aur wedi'u trawsnewid yn afalau perffaith.

Cyn iddi nosi, arweiniodd y bachgen Hassan ac Asan i'r ardd. Cydiodd Hassan ym mraich Asan, gan fod y ddau yn mynd yn hen erbyn hyn. Wrth weld y blodau hyfryd o'u blaenau, fe wenodd y ddau hen ffrind ar ei gilydd.

I'r fan hyfryd honno byddai trigolion y pentref yn dod byth wedyn. I chwarae, i orffwys, ac i wrando ar gân hudolus yr adar. Yr ardd hud. Yr ardd hud a dyfodd o gyfeillgarwch ac o gariad ac o garedigrwydd un bachgen call.

Bwyta'r Awyr

Shshshsh! Mae 'na stori'n dod. Bydd ddistaw! Gwranda!

Yn y dechrau roedd yr awyr yn agos at y ddaear. Mor agos nes ei bod yn bosib i ti estyn i fyny a'i chyffwrdd. Roedd hyd yn oed yn bosib ei bwyta. Yn y dechrau, doedd dim rhaid i unrhyw un chwysu yn y caeau, yn plannu hadau ac yn gweithio'n galed i gael bwyd. Na. Doedd dim rhaid i blant bach gasglu brigau ar gyfer gwneud tân i goginio bwyd. Y cyfan oedd angen ei wneud oedd estyn i fyny a thorri darn o awyr hyfryd a'i bwyta.

Ond fe ddechreuodd rhai bobol wastraffu'r awyr. Byddai rhai'n rhoi llawer gormod o awyr ar eu platiau – mwy nag oedd ei angen arnyn nhw ac yna'n ei gadael ar ôl. Wedi'r cyfan, medden nhw, 'mae'r awyr yn ddigon mawr ac mae 'na hen ddigon ar ôl. Beth yw'r ots os wastraffwn ni ychydig bach?'

Ond *roedd* ots gan yr awyr. A chyn bo hir, fe drodd yn ddig iawn, iawn. 'Dwi'n rhoi fy hun i'r bobol yma bob dydd,' taranodd yr awyr, 'ac maen nhw'n fy nhaflu i ffwrdd fel sbwriel!'

Fflachiodd llygaid yr awyr fel mellt. Roedd cymylau duon yn berwi yn yr awyr. 'Bobol y ddaear!' gwaeddodd. 'Mae'n rhaid i chi fy mharchu. Peidiwch â gwastraffu fy rhoddion i!'

Edrychodd pob creadur byw i fyny at yr awyr a dechrau crynu.

'Dyma eich rhybudd!' bloeddiodd yr awyr. 'Os byddwch chi'n farus eto, fe fydda i'n diflannu ymhell i'r cymylau!'

Teimlodd pawb ar y ddaear gywilydd mawr ac addo bod yn fwy gofalus. Ar ôl y rhybudd, doedd neb yn mynd â mwy o awyr nag oedd ei angen arnyn nhw. Ac ar ôl bwyta, byddai pob un yn diolch i'r awyr am ei fwyd.

Yna, fe ddaeth hi'n amser yr ŵyl. Gŵyl fawr i ddathlu pen-blwydd pennaeth y pentref. Roedd cerddoriaeth hyfryd ym mhobman a phawb yn canu clychau a churo drymiau a digonedd o glapio, chwerthin, canu a dawnsio. Yfwyd llawer o win ac roedd yna wledd o awyr ffres wedi'i pharatoi ar y byrddau. Awyr yn blasu o binafal a hufen, ac awyr blas mefus a mafon, darnau mawr o awyr siwgr coco a darnau tenau o awyr blas eirin. Roedd yna ddigon ar gyfer pawb. Roedd yr awyr wedi bod yn hael gan wybod na fyddai'r bobol yn mynd â mwy nag oedd ei angen arnyn nhw.

Ond roedd un fenyw yno oedd byth ar ben ei digon. Roedd Osato wastad eisiau mwy. Ar ôl cael breichled bres, roedd arni eisiau breichled o gwrel. Ac ar ôl cael dillad o gotwm hardd, roedd arni eisau dillad o sidan coch. Doedd dim byd yn ddigon i Osato. Ond o'r holl bethau roedd hi'n eu heisiau, bwyd oedd ei hoff beth.

I ddechrau, bwytaodd lond bowlen fawr o awyr canol y dydd, blas melon melyn. Yna fe gafodd blataid o gawl awyr dywyll sbeislyd a chynnes. Mmmm. Cododd y ddysgl i'w cheg a llyncu'r cyfan. Bwytaodd awyr blas bara ffres ac awyr o flas llysiau gwyrdd. Yn fuan, roedd ei bol yn llawn, a'i dillad yn dynn.

Yn hytrach na rhoi'r gorau i fwyta llaciodd ei sgert a dweud, 'Beth nesaf?'

Blasodd ddarnau tenau o awyr binc sgleiniog fel ffrwythau'r haf, lympiau o awyr borffor blas grawnwin a phlataid o awyr lliw arian hardd oedd yn blasu fel siwgr a sbeis. Llarpiodd a llyncu, llowcio a llyfu nes bod sudd yn llifo i lawr ei gên. O'r diwedd, roedd y byrddau'n wag a cherddodd Osato'n araf am adref. Roedd ei dillad yn dynn amdani ond er hynny, roedd ei llygaid yn cael eu denu tuag at yr awyr o hyd. Tybed beth fyddai'r awyr yn blasu ohono erbyn hyn? Mango melys? Daeth dŵr i'w dannedd. Mêl a sinamon? Llyfodd ei gwefusau.

Dechreuodd ei bysedd dynnu ar y llwy a gadwai yn ei phenwisg, ond na. Na. Roedd Osato'n gwybod y byddai'r awyr yn grac petai hi'n mynd â mwy nag oedd ei angen arni. Roedd hi'n gwybod ei bod hi'n llawn. Ond, un llwyaid . . . un llwyaid fach arall, efallai.

Safodd ac edrych i fyny ar yr awyr. 'Mae'r awyr yn anferth,' meddai hi wrthi ei hun a thynnu'r llwy allan o'i phenwisg a'i chladdu yn yr awyr. Llarpiodd lwyaid anferth o'r awyr. Mmm – papaia melys a chnau coco! Caeodd ei llygaid. Cymerodd lwyaid arall. Eirin a mafon! Taflodd ei llwy i'r llawr a dechrau crafu'r awyr â'i bysedd. Crafodd a llarpio, llyncu a llowcio nes bod sudd yn diferu i lawr ei breichiau. Sugnodd ei bysedd wedyn gan wenu. Roedd y cyfan yn blasu mor dda.

Yna, heb feddwl mwy, torrodd ddarn anferth o'r awyr. Darn oedd yn ddigon o faint i fwydo teulu cyfan am wythnosau. Llyfodd ochrau'r darn i gyd gan gnoi'n arafach erbyn hyn. Yna edrychodd i fyny ar y twll tywyll enfawr uwch ei phen a gwyddai ei bod hi wedi mynd â llawer mwy nag oedd ei angen arni. Clywodd sŵn yr awyr yn dwndwr uwch ei phen. 'Dwi wedi torri gormod,' meddai'n Osato'n bryderus. 'Alla i ddim â gwastraffu'r darn yma o awyr. Beth wna i?' Rhedodd a galw ar ei gŵr.

'Dere! Dere! Mae'n rhaid i ti fy helpu i!' gwaeddodd arno. 'Dere i fwyta'r awyr yma!'

Roedd ei gŵr yn eistedd yn ddiog yn ei gadair ar ôl llenwi ei fol yn yr ŵyl. 'Alla i ddim â bwyta tamaid arall,' meddai. Ond pan welodd yr ofn yn llygaid Osato fe wnaeth ei orau i fwyta llwyaid neu ddwy.

'Blant! Blant!' gwaeddodd Osato wedyn. 'Dewch i fwyta'r awyr yma!'

Edrychodd y plant ar y lwmpyn anferth o awyr. 'Ond Mam, ry'n ni'n rhy llawn o lawer!' Ond llwyddodd y plant i wthio ychydig bach o'r awyr i lawr eu gyddfau.

Yna aeth Osato i ddihuno ei chymdogion. 'A ddewch chi? A ddewch chi i fwyta'r darn yma o awyr?' plediodd Osato. Roedd boliau pawb yn y pentref yn llawn dop ond fe geisiodd pawb eu gorau glas i fwyta, gan droi eu llygaid bob hyn a hyn i edrych yn bryderus ar yr awyr. Ond hyd yn oed gyda help *pawb* yn y pentref, roedd dros hanner y darn o'r awyr ar ôl!

'Beth yw'r ots?' gofynnodd Osato gan chwerthin yn nerfus. 'Dim ond ychydig bach o wastraff sydd yna.' Ond fe wyddai Osato fod rhywbeth mawr yn bod.

Y noson honno, bu pawb yn troi a throsi, yn gwybod bod rhyw newid ar droed. A'r bore wedyn, doedd dim awyr yno i'w bwyta. Doedd dim bwyd i neb – hyd yn oed i'r plant. Penliniodd Osato ar y ddaear a dechrau wylo. 'Mae'n ddrwg gen i,' llefodd. Ond dim ond sŵn y gwynt ddaeth o'r awyr wrth iddi dynnu ei hun i fyny i ben y coed.

'Mae'n ddrwg gen i . . .'

I fyny aeth yr awyr tuag at y mynyddoedd.

'Mae'n ddrwg gen i . . .'

Ond i fyny'n uwch eto aeth yr awyr. Yn uwch na'r cymylau. Yn llawer yn rhy uchel i unrhyw un fedru ei chyffwrdd. Daeth llais yr awyr i lawr ar y gwynt.

'Fe roddais i fy hun i chi dro ar ôl tro, ond cefais fy nhaflu i ffwrdd fel sbwriel. Mae'n rhaid i mi eich gadael nawr,' meddai'r awyr.

'Ond beth allwn ni ei fwyta? Sut wnawn ni fyw?' gofynnodd Osato. Ond ddaeth dim ateb. Dim sŵn. Dim byd.

Syrthiodd dagrau Osato i'r ddaear ac fe wrandawodd pawb ar y tawelwch. Ond yna, daeth llais arall. Llais cynnes. Llais y ddaear.

'Sycha dy ddagrau,' meddai'r ddaear yn annwyl. 'Galla i dy fwydo di a phawb sy yn y pentref. Ond bydd yn rhaid i chi weithio'n galed am eich bwyd. Bydd yn rhaid i chi ddysgu aredig, plannu hadau a chodi cnydau. A chofiwch y wers rydych chi wedi'i dysgu heddiw. Cymerwch ddim ond beth sydd ei angen arnoch chi. Os gwnewch chi hynny, fe wna i eich bwydo am byth.'

'Dwi'n addo!' meddai Osato. 'Dwi'n addo peidio â chymryd mwy nag sydd ei angen arna i.'

Ac fe gadwodd Osato at ei gair. Dysgodd hi barchu'r awyr a pharchu'r ddaear a rhannodd ei stori â phawb er mwyn i bawb fedru dysgu'r un wers.

Osato o Nigeria ddywedodd y stori hon wrtha i. A nawr dwi wedi'i dweud hi wrthot ti.